KB076196

AI직장혁명

ChatGPT시대, 어떻게 살아남을 것인가?

AI직장혁명

발 행 | 2023년 12월 13일
저 자 | 성장그린
펴낸이 | 한건희
펴낸곳 | 주식회사 부크크
출판사등록 | 2014.07.15.(제2014-16호)
주 소 | 서울특별시 금천구 가산디지털1로 119 SK트윈타워 A동 305호
전 화 | 1670-8316
이메일 | info@bookk.co.kr

ISBN | 979-11-410-5933-0

www.bookk.co.kr

AI직장혁명

ChatGPT시대, 어떻게 살아남을 것인가?

성장그린 지음

CONTENT

프롤로그

평범한 직장인인 내가 ChatGPT를 배운 이유는 무엇이었을까?
최근 각 매체들을 통해 인공지능(AI) 기술의 발달로 일자리 일부
가 사라질 것이라는 경고가 연일 쏟아져 나왔다. 직장생활만 15
년차, 중소기업 사무직으로 특별한 기술조차 없던 내게는 더 없
이 충격적이고 막막했던 뉴스가 아닐 수 없었다.

> "AI는 당신의 자리를 대체하지 않을 것이다.
> AI를 사용하는 사람이 당신을 대체할 뿐."

알 수 없는 불안감이 밀려왔다.
그래서였을까? 직장생활을 하는 동안만큼은 내 밥벌이를 스스로
지키기 위해, 대체되지 않기 위해 인공지능(AI)을 사용하는 사람
이 되기로 다짐했다.

그러던 중 인공지능의 다양한 기술 중 떠들썩했던 ChatGPT에
주목했다. 처음엔 유튜브로 관련 지식을 습득했고, 이후 강의 및
챌린지 등에 적잖은 돈까지 지불하면서 적극적으로 배워나갔다.

배워나가는 과정에서 많은 정보가 블로그 글쓰기, 인스타그램 자
동화 등 수익화에만 중점을 두고 있다는 것을 알게 됐다. 아쉬웠
다. 막상 수익화에 적용한다고 한들 큰돈을 벌 수 있는 사람들은
몇 명 되지 않는다고 생각해서였을까? 아니 큰돈을 벌 수 있다고
한들 당장 직장을 그만두고 시작할 용기가 없었던 탓이었을까?

일단 내 상황에 맞춰 배운 내용을 바로 활용해보는 것이 더 중요
하다고 생각했다. 그렇게 은밀하게(?) ChatGPT를 업무에 활용해

보기 시작했다.

어떻게 하면 일상적인 업무를 더 스마트하고 효율적으로 수행할 수 있을지 고민했고 ChatGPT를 통해 다양한 방법을 찾았다.

이 책은 나의 경험을 토대로 작성됐다. 직장인이 ChatGPT를 일상적인 업무에서부터 더 복잡하고 전략적인 과제에 이르기까지 어떻게 활용할 수 있는지에 대해 소개한다. 업무 효율을 극대화할 수 있도록 구체적인 방법과 팁도 제시한다.

이 책을 통해 독자들은 자신의 직무를 최적화하고, 현대의 AI 기술을 효과적으로 활용하여 더 스마트하고 효율적인 업무 방식을 찾을 수 있을 것이다.

신입사원부터 모든 직장인이 ChatGPT가 제공하는 지능의 손길을 받아들여, 자신의 업무에 적극적으로 도입함으로써 더 스마트하고 생산적인 직장 생활을 즐길 수 있기를 기대한다.

ChatGPT를 배워야 하는 이유

1-1. 직장혁명이 시작되다.

등장부터 시장을 압도한 ChatGPT.

ChatGPT가 2022년 11월 30일 출시 이후 단 2개월만에 월간 활성 사용자 수(MAU) 1억명을 달성했다. 이는 구글 8년, 페이스 북 3년 2개월, 유튜브 2년 10개월, 인스타그램 2년 6개월, 틱톡 9개월이 소요된 것을 감안하면 그야말로 혁신적인 기록임을 알 수 있다.

최근에는 마이크로소프트, 구글 등 글로벌 빅테크 기업들을 비롯해 국내 기업들까지 인공지능(AI) 시장에 대거 뛰어들며 격동의 해를 맞이하고 있다.

기업들은 인공지능(AI) 기술을 빠르게 도입해 가치를 만들어내는 데 집중하고 있다. 금융업계에서는 인공지능을 도입하여 시장의 동향을 분석하고 투자 전략을 수립하는데 활용하고 있다. 또한 AI 알고리즘을 활용하여 고객의 금융 거래 이력을 분석하고, 개인 맞춤형 투자 조언을 제공하거나 금융 상품 추천하기도 한다. 금융 거래 패턴 분석 및 이상 징후 감지 등 사이버 보안 서비스도 제공하고 있다.

일부 대규모 제조 기업은 인공지능을 사용하여 생산 라인을 스마트하게 만들어 효율성을 극대화하고 생산 프로세스를 최적화하고 있다. AI 기반의 센서와 빅데이터 분석을 통해 생산 라인에서 발생하는 데이터를 실시간으로 모니터링하고, 예측 분석을 통해 고장 예측 및 예방을 수행함으로써 생산량을 늘리고 비용을 절감하고 있다.

소매 기업도 고객 경험을 향상시키기 위해 인공지능을 도입하고 있다. 고객의 구매이력과 선호도를 분석하여 맞춤형 추천 서비스를 제공하거나, 챗봇을 활용하여 고객의 질문에 빠르게 응답하고 문제를 해결하고 있다. 이를 통해 고객과의 상호작용을 향상시키고 구매결정을 돕는 서비스를 제공하고 있다.

이처럼 기업들은 인공지능을 활용해 더 높은 생산성을 추구하고 있다. 이는 서비스에만 국한된 것이 아니라, 직장 내 업무 시스템에도 반영되고 있다.

기존에 반복적이고 루틴한 업무는 AI 기술을 활용하여 자동화하고, 구성원들이 더 많은 시간을 창의적이고 전략적인 작업에 집중할 수 있도록 조직시스템을 만들어가고 있다.

인공지능(AI)은 현대 직장을 전체적으로 변화시키고 있다. 직장인들도 덩달아 급변하는 비즈니스 환경에서 다양한 도전과 과제에 직면해 있다. 급격한 기술혁신과 새로운 업무 패러다임의 도래로 인해 더욱 빠른 의사결정과 효율적인 업무수행 능력을 요구받고 있는 것이다. 이에 따라 직장인들은 새로운 도구와 기술을 도입하여 업무생산성을 높이는 방법을 적극적으로 모색해 나가야하는 한다.

이러한 맥락에서 ChatGPT가 주목을 받고 있고, 이는 이미 직장 혁명의 시대가 열린 것을 의미한다.

평범한 직장인에게 있어서, ChatGPT는 업무 효율성을 극대화하는 강력한 무기로 작용한다. 이는 일상적인 업무부터 복잡한 작업까지를 자동화하고 빠르게 처리할 수 있는 능력을 지닌 도구로서, 특히 글쓰기, 요약, 분석, 기획, 보고서 작성 등 다양한 업무 영역에서 활용 가능하다.

ChatGPT는 단순한 자동화 도구를 넘어, 창의성과 전략적 사고를 강화하는 데에도 도움이 된다.

기획서나 제안서 작성 시, ChatGPT를 활용하면 다양한 시나리오를 자동으로 생성하고 창의적인 아이디어를 도출하는 데에 도움을 받을 수 있다. 데이터 분석이나 비교 분석을 통해 전략적인 의사결정에 도움을 주어 직장인이 높은 수준의 전략적 사고를 발휘할 수 있게 지원한다.

ChatGPT의 등장은 직장인들에게 새로운 역량의 필요성을 알려주며, 이는 성장의 기회로 이어진다. 새로운 기술과의 협업, 모델의 제어와 최적화, 데이터 처리 등의 분야에서 기술적 이해와 능력이 요구되며, 이는 직장인이 ChatGPT를 효과적으로 활용하기 위한 필수적인 요소로 작용한다. ChatGPT를 활용하여 업무 프로세스를 최적화하고 효율을 높이는 데에 성공하면, 자신의 업무에 대한 높은 신뢰와 인정을 얻을 수 있을 것이다.

결국, ChatGPT는 직장인들에게 업무의 패러다임을 바꾸어 놓고 있으며, 이를 통해 더욱 스마트하고 효율적인 직장 생활을 가능케 한다. 머지않아 ChatGPT가 인간의 지적능력 중 상당 부분을 대체할 수 있을지도 모른다.

그렇다면 직장혁명, 그 중심에 선 ChatGPT를 우리의 업무환경에 어떻게 활용할 수 있을까?

1. 업무 효율성의 극대화

ChatGPT는 직장인에게 업무 효율성을 극대화할 수 있는 강력한 도구로 작용한다. 일상적인 업무에서부터 복잡한 작업까지, ChatGPT를 활용하면 글쓰기, 요약, 분석, 기획, 보고서 작성 등 다양한 업무를 자동화하고 빠르게 처리할 수 있다.

2. 창의성과 전략적 사고 강화

ChatGPT는 단순한 작업 자동화를 넘어 창의성과 전략적 사고를 강화하는 데에도 기여한다. 기획서나 제안서 작성 시에 ChatGPT를 활용하여 다양한 시나리오를 자동으로 생성하고 창의적인 아이디어를 도출할 수 있다. 또한, 데이터 분석이나 비교 분석을 통해 전략적인 의사결정에 도움을 주어 직장인이 더 높은 수준의 전략적 사고를 발휘할 수 있게 도와준다.

3. 새로운 역량의 필요성과 성장 기회

ChatGPT의 등장은 직장인들에게 새로운 역량을 학습하고 습득할 필요성을 제시한다. 인공지능과의 협업, 모델의 제어와 최적화, 데이터 처리 등 다양한 분야에서의 기술적인 이해와 능력이 필요하다. 직장인이 ChatGPT를 적극적으로 활용하기 위해서는 이러한 새로운 역량을 학습하고 성장하는 기회로 삼을 수 있다. 또한, ChatGPT를 통해 업무 프로세스를 최적화하고 효율을 높이는 데에 성공하면 자신의 직무에서 높은 신뢰와 인정을 받을 수 있는 기회로 이어질 것이다.

직장혁명의 시기에 ChatGPT는 배우는 것은 현대에 필수적인 스킬을 키우는 것이다. 지속적인 학습, 창의성 강화, 소통능력 향상을 통해 직장인은 언제 어디서든 미래의 상황에 대비할 수 있는 강력한 무기를 얻을 것이다.

1-2. 직장혁명이 시작되다.

인간의 육체노동을 대체했던 산업혁명과는 달리, 앞으로는 ChatGPT가 지식 노동을 대체할 것이다. 일 잘하는 사람들은 과거와는 다른 기술을 습득하고 활용하는 데에 능숙해져야 한다. AI 기술은 새로운 역량을 요구하고 있다.
그렇다면 우리는 어떠한 역량을 갖춰야 하는가?

많은 전문가들이 ChatGPT를 잘 활용하는 사람이 앞으로 더욱 더 큰 부가가치를 창출할 것이라고 말한다. 컴퓨터와 인터넷 등 신기술이 등장했을 때마다 가장 큰 수혜를 본 사람들은 누구보다 빠르게 배우고 익혀 그것을 잘 활용하는 사람들이었다. ChatGPT도 마찬가지다. 공부를 열심히 한 사람이 결국 시험을 잘 볼 수밖에 없는 것처럼 말이다.

ChatGPT가 출시된지 1년 정도 된 시점에서 주변 분위기를 살펴보니, ChatGPT를 잘 쓰고 높은 성과를 내는 사람들은 모두 기술을 빠르게 받아들이고 꾸준히 학습한 사람들이었다. 일상생활 속에서 활용하는 것은 물론이고 유튜브나 인스타그램에 관련 영상을 만들어 소개하고 심지어 블로그, 마케팅 등에 적극적으로 활용해 수익화까지 이뤄냈다. 반대로 일부 사람들은 몇 번 사용해보고 크게 도움이 되지 않는다는 이유로 금방 포기했다.

생성형 AI라는 강력한 도구가 주어진 새로운 직장혁명의 시대에서 일 잘하는 사람들은 누구인가? 어떻게 해야 일 잘 하는 사람으로 거듭날 수 있나?

먼저 질문을 잘하는 사람이 되어야 한다.
ChatGPT는 사용자의 질문을 바탕으로 답변을 생성하는데, 이때

'질문의 질'이 '답변의 질'을 좌우한다. 따라서 ChatGPT를 효과적으로 활용하려면 질문을 잘 구성하는 능력이 중요하다. 사용자가 질문을 제대로 하지 못하면 원하는 대답을 얻을 수 없다.

기존에는 '대답을 잘하는 사람'이 중요한 역할을 했다면 앞으로는 '질문을 잘하는 사람'이 더 중요한 역할을 할 것이다. ChatGPT에게 더 신박하고 본질적인 질문을 하는 사람이 그 누구도 얻지 못하는 답을 얻을 수 있을 테니 말이다.

둘째 다각도로 생각하고 추론할 줄 아는 사람이어야 한다.
앞으로는 많이 아는 것보다 같은 정보로부터 누가 더 획기적인 판단을 할 수 있는지에 따라 실력이 두드러질 것이다.

ChatGPT가 제공하는 정보를 기반으로 다양한 각도에서 생각하고 판단하는 능력은 인간이 갖는 강점 중 하나이다. 누구나 접근할 수 있는 정보를 새로운 관점에서 해석하는 능력은 차별화된 역량으로 작용할 것이다. 정보를 토대로 다각도로 생각하고 추론해 낼 수 있다면 세상에 없는 이론이나 물질 등을 만들어 내는 것도 가능하다.

마지막으로 스스로 브랜드가 되어야 한다.
상품과 서비스가 상향평준화되면서 비싼 가격에도 불구하고 브랜드 제품이나 서비스가 더욱 더 각광을 받듯이, ChatGPT로 지적인 능력이 상향평준화되었을 때 '퍼스널 브랜드'가 더욱더 중요해질 것이다. 예를 들어, ChatGPT를 통해 특정 음악에 대한 정보를 동일하게 얻고 사람들에게 말했을 때 이미 잘 알려진 음악평론가가 말하는 것과 평범한 직장인인 내가 말하는 것은 큰 차이가 있을 것이다. 퍼스널 브랜드가 강화되면 ChatGPT를 통해 얻은 정보도 더욱 가치 있게 전달될 것이다.

새롭게 재정의 된 일 잘하는 사람이 되기 위해서는 ChatGPT를 잘 활용해야 한다. 잘 활용하기 위해서는 질문능력, 추론능력, 그리고 퍼스널 브랜드 구축이 핵심적인 역량으로 부각될 것이다.

PART
02

ChatGPT 이해하기

2-1. ChatGPT의 기본 개념

ChatGPT는 미국의 인공지능 회사 'Open AI'가 만든 대화형 인공지능 챗봇이다. 'Generative Pre-trained Transformer'의 약자로 사전 학습된 대규모의 데이터를 기반으로 새로운 데이터를 분석하고 생성하는 기술을 뜻한다.

즉 사용자가 질문을 하면 학습한 데이터 내에서 최적의 답안을 제공하는 서비스다.

누구나 쉽게 온라인을 통해 사용해볼 수 있다는 점에서 본격적인 AI 대중화의 서막을 알렸다고 볼 수 있다.

기존 인공지능 서비스와 ChatGPT의 차이는 무엇일까?

바로 사람이 직접 개입한다는 것이다. ChatGPT에게 좋은 질문을 알려주는 것부터 적절한 데이터를 넣고 선별하는 것, 해당 질문과 답변이 정확한지 검증하고 평가하는 것까지 모든 순간에 사람이 개입한다.

애초에 사람 손을 타게 만들어졌기에 ChatGPT가 모든 것을 스스로 알아서 완벽하게 처리해줄 수 있을 것이라는 환상을 버리고 접근해야 한다.

계속해서 업그레이드가 되고 있는 ChatGPT.
GPT-3.5에 이어 2023년 11월 GPT-4 터보까지 출시됐다.

모델비교
출처 : OpenAI & Microsoft Azure OpenAI ('23년 11월 기준)

항목	GPT-3.5	GPT-4.0(터보)
출시일	2022.11	2023.11
최대 요청 토큰 수	4,096개 / 현재 16,385개	128,000개
개발자 비용	입력 $0.001 출력 $0.002	입력 $0.01 출력 $0.03
데이터학습 종료시점	2021.09	2023.04
이미지 인식	불가능	가능
이미지 생성	없음	dall-e3
유효성	모든 chatgpt 사용자	chatgpt Plus 전용

GPT-3.5 : ChatGPT 기본기능, 무료버전
GPT-4.0(터보) : ChatGPT 유료버전

GPT-3.5와 GPT-4의 차이점은 무엇일까?
가장 큰 차이는 이미지 인식 기능의 가능여부이다. GPT-4는 단순히 텍스트뿐만 아니라 멀티 모달(Multimodal) 기능으로 다양한 종류의 데이터를 인식하고 처리할 수 있다. 이미지를 인식한 후 해당 이미지에 대한 텍스트 정보를 만들어 낼 수 있는 것이다.

OpenAI에서 발표한 보고서 내용에 따르면 GPT-4는 표, 차트 등 이미지를 해석해 답을 구하거나 문제를 풀 수 있을 뿐만 아니라 직역으로는 이해하기 어려운 밈에 대한 내용도 이해하고, 질문에 대한 답을 이미지로도 제공할 수 있다고 한다.

두 번째는 지식의 향상으로 GPT-4의 성능이 우수하다는 점이다. 입력할 수 있는 문맥의 양이 최대 128,000토큰으로 늘어났다. 쉽게 말해 한 번에 ChatGPT에서 처리할 수 있는 단어(문장)의 수가 굉장하다고 이해하면 된다. 무료버전 보다 16배나 늘어난 양으로, 총 300페이지 분량의 문장을 처리할 수 있다.

GPT-4는 방대한 데이터를 통해 챗봇, 언어 번역, 문서 요약, 분석에 이르기까지 사용범위가 넓다. 업그레이드되면서 더 자연스럽고 고도화된 답변을 제공할 수 있게 됐다.

마지막으로 분당 토큰 제한을 두 배로 늘렸지만 비용은 오히려 저렴해졌다. 성능은 높이고 가격은 낮췄다. 더 많은 사람들이 비용에 대한 고민 없이 ChatGPT를 사용할 수 있게 되면 시장이 더욱 커질 것이다.

2-2. 프롬프트 가이드

프롬프트란?
ChatGPT에게 사용자가 질문 혹은 요청하는 것을 말한다.
ChatGPT는 프롬프트를 기반으로 대답을 생성해낸다.

프롬프트 엔지니어링이란?
AI가 최상의 결과를 낼 수 있도록 질문하는 기술로써, 좋은 대답을 얻기 위해 어떻게 질문 혹은 요청을 해야 하는지 설계하는 것이다.

프롬프트 엔지니어란?
프롬프트를 잘 설계해서 좋은 결과를 만들어 내는 사람을 뜻한다.

프롬프트는 인공지능 언어 모델에 사용자의 지시 또는 쿼리를 전달하는 역할을 한다. 이것이 중요한 이유는 프롬프트가 모델이 생성하는 응답의 방향과 내용을 크게 조정하기 때문이다. 제대로 구성된 프롬프트는 모델이 사용자의 의도를 정확히 이해하고 적절한 정보나 답변을 생성하도록 돕는다.

한마디로 프롬프트 역량에 따라 결과물의 차이가 크다는 것이다. 예를 들어 신규로 입사한 신입사원에게 보고서를 작성하라고만 지시했을 경우, 만족스러운 결과물을 가져올 확률이 낮다.

반면 작성해야 할 보고서에 대해 아래와 같이 구체적인 포맷과 분량, 형식에 대해서 설명한 후 지시했다고 가정해보자.

목적 : 일주일동안 진행된 프로젝트의 성과를 정리하는 것
배경 : 팀 전체회의에서 사용할 예정
분량 : 결과물은 PPT로 다섯 장
형식 : 주요 키워드 5개 뽑고, 글씨체는 돋움체로 작성할 것

추가로 보고서를 쓸 수 있게 일주일동안 진행된 프로젝트의 성과지표 및 이전 보고서 등 참고 데이터로 전달한 후 업무를 지시를 했을 때 신입사원은 훨씬 더 일을 잘할 확률이 높아진다.

ChatGPT도 마찬가지라고 이해하면 된다. 구체적인 요구사항과

고려해야 될 요소들을 충분히 줄수록 답변의 질이 좋아진다.

그렇다면 좋은 프롬프트를 작성하는 방법은 무엇일까?
다양한 방법들이 있지만, 기본적으로 크게 5가지로 구분하여 질문했을 때 좋은 대답을 얻을 수 있다.

1) 역할 : ChatGPT의 페르소나 설정
       (ex.너는 마케팅전문가야)
2) 상황 : 누구에게 무엇을 언제 어디서 어떻게 등 상황 설명
       (ex. 20대 여성 대상, 건조한 겨울에 필요한 화장품을 온라인에서 판매할거야)
3) 목적 : 구체적으로 요청
       (ex. 목적은 신제품을 많이 판매하는거야)
4) 결과 : 원하는 결과
       (ex. 매력적인 카피라이팅 5개를 만들어줘)
5) 제약 : 제한과 가이드라인 주기
       (ex. 친근한 어조, 한 문장, 한글사용)

이 때 팁을 주자면, 질문에 적합한 역할 설정이 어려울 경우 ChatGPT에게 물어보면 된다. 나온 대답을 토대로 적합하다고 생각되는 페르소나를 설정하면 된다.

▶ 프롬프트 예시
글을 요약하고 싶어. 페르소나 설정을 누구로 해야 할까?

<ChatGPT가 답변한 내용>
효과적인 요약을 위한 페르소나는 다음과 같이 설정할 수 있습니다:

알고리즘 엔지니어 :
데이터와 패턴에 민감한 페르소나로, 정보를 체계적으로 추출하고 정리하는 데 능숙합니다. 핵심적인 내용을 식별하고 효과적인 알고리즘을 사용하여 요약을 생성합니다.

전문가/전문 지식 보유자 :
특정 분야나 주제에 대한 전문 지식을 가진 페르소나로, 관련성 높은 내용을 식별하고 해당 분야의 중요한 정보를 강조하여 요약을 수행합니다.

일반 독자 :
일반적인 독자를 대상으로 하는 페르소나로, 기술적인 용어나 복잡한 내용을 쉽게 이해할 수 있는 간결하고 명확한 요약을 생성합니다.

시간 제한된 업무자 :
바쁜 업무 일정을 가진 사람을 대상으로 하는 페르소나로, 핵심 정보를 빠르게 파악할 수 있는 간결하면서도 전달력 있는 요약을 생성합니다.

각 페르소나는 특정 상황이나 대상에 대한 요약에서 강점을 가지고 있으므로, 요약의 목적과 대상을 고려하여 적절한 페르소나를 선택하는 것이 중요합니다.

추가로 프롬프트 작성 시에는 아래 5가지 내용을 유념하고 질문하면 더 효율적으로 활용할 수 있다.

1) 구체적으로 요청해야 한다. 두루뭉술하고 구체적이지 않은 질문은 뻔하고 일반적인 대답 밖에 이끌어 내지 못한다.

2) 영어를 사용했을 때 훨씬 더 좋은 답변을 얻을 수 있다. ChatGPT가 인터넷에 있는 문서를 기반으로 답변을 생성하는데, 영어로 된 웹 문서가 한국어로 된 것보다 훨씬 많다. 이에 영어로 질문했을 때 답변의 품질이 더 높다.

영어를 사용할 수 없는 경우 'Prompt Genie' 및 'DeepL'과 같은 브라우저 확장을 활용할 수 있다. Prompt Genie는 자동으로 다른 언어의 프롬프트를 영어로 번역해주고, DeepL은 영어 응답을 모국어로 다시 번역해준다.

3) 대화창에는 한 가지 주제로만 소통해야 한다. 대화창은 여러 개를 생성할 수 있는데 한 대화창에 여러 주제를 이야기하다보면 앞의 대화내용에 의해 엉뚱한 답변을 내놓을 때가 있다.

4) 비윤리적인 주제에 대해 질문하면 안 된다. 비윤리적이라고 판단되는 대화를 시도할 경우 계정이 차단되거나 사용정지가 되는 등 불이익이 있을 수 있다.

2-3. 주의점

ChatGPT는 직접 사용해보면 생산성과 활용성에 감탄을 하게 된다. 하지만 문제점이 존재하기 때문에 사용 시 주의가 필요하다.

1) 오류 가능성

할루시네이션(Hallucination, 환각) 현상으로 모르는 것도 상상력을 발휘해 진짜 데이터처럼 전달한다. 생성된 답이 참인지, 거짓인지 판단하기 어렵다. 방대한 데이터를 기반으로 작성된 답변이지만 이 답변을 검증하는 것은 사람의 몫이다. 실제로 역사 관련 질문을 해보면 이상한 답변을 하는 경우가 종종 있다. 또한 AI가 작성해 준 코드에 오류가 있는 경우도 많다. 거짓말을 잘 한다는 것을 기억해야 한다.

2) 저작권 문제
인공지능을 사용하여 미술, 소설 등의 창작물을 만들었을 때 저작권 문제가 발생할 수 있다. AI는 기존의 데이터를 습득하여 생성해 내기 때문에 이전에 이미 존재했던 핵심적인 내용과 아이디어가 유사할 수 있다.

3) 지식의 한계
ChatGPT는 훈련 데이터에서 얻은 정보를 활용한다. 그 결과로 최신 정보나 훈련 데이터에 없는 내용에 대해서는 정확한 답변을 제공하기 어렵다.

이러한 문제를 극복할 수 있는 방법은 거짓말을 확인 및 검증할 수 있는 전문성, 작은 단위로 나누어 요청하고 최신 데이터를 제공하는 플러그인을 활용하는 것이다.

Chat GPT 활용하기(기초)

3-1. 이메일 작성하기

ChatGPT는 언어를 이해하고 생성하는 능력을 갖춘 고급 자연어 처리 모델로, 업무 이메일 작성에 다양한 방식으로 활용할 수 있다.

1) 빠르고 효율적인 초안 작성 :
ChatGPT를 사용하여 이메일의 초안을 빠르게 작성할 수 있다. 간단한 프롬프트로 적절한 문맥을 제시하면 ChatGPT가 해당 내용을 바탕으로 응답을 생성해준다.

2) 전문적인 언어 사용 :
ChatGPT는 비즈니스 용어 및 포멀한 언어를 이해하고 활용할 수 있다. 업무 이메일에서 요구되는 전문성을 유지하면서도 자연스러운 문체로 효과적인 커뮤니케이션을 가능하게 한다.

3) 정보 정리 및 구조화 :
ChatGPT를 활용하여 이메일에 포함될 정보를 정리하고 구조화할 수 있다.복잡한 주제나 다양한 정보를 효율적으로 정리하여 이해하기 쉬운 이메일을 작성하는 데 도움이 된다.

4) 커스텀한 프롬프트 작성 :
특정 상황이나 수신자에 따라 커스텀한 프롬프트를 작성하여 ChatGPT에게 원하는 스타일과 톤의 이메일을 작성하도록 유도할 수 있다. 사용자가 원하는 대로 ChatGPT를 조작하여 더욱 개인화된 작업을 수행할 수 있다.

이메일 작성은 내용 정리 > 초안 작성 > 작성된 초안 리뷰 > 첨삭 요청의 순서로 진행된다.

① 내용 정리 : 수신인, 목적, 주요내용 등 항목을 작성한다.
- 수신인 : 성장그린
- 목적 : 신규 출시된 유아용품 소개
- 주요내용 : 20% 할인 혜택
- 요청사항 : 회신 요청, 다음 주 화요일까지(12/6)

② 초안 작성 : 정리된 내용을 토대로 프롬프트를 작성한다.

▶ 프롬프트 예시
아래 요구 사항으로 이메일 초안을 작성해줘.
- 수신인 : 성장그린
- 목적 : 신규 출시된 유아용품 소개
- 주요내용 : 20% 할인 혜택
- 요청사항 : 회신 요청, 다음 주 화요일까지(12/6)
- Tone : 영업 전문가처럼
- 언어지정 : 한글

<ChatGPT가 작성한 이메일 초안>
제목: 신규 출시! 유아용품 20% 할인 혜택 안내

안녕하세요, 성장그린 담당자님,

저희는 항상 더 나은 제품으로 고객님들을 만족시키기 위해 노력하고 있는 [회사명]입니다. 이번에 새롭게 출시된 유아용품에 대한 특별 혜택을 안내드리려 합니다.

주요 내용 :

신규 출시된 유아용품 20% 할인 혜택
안전하고 튼튼한 디자인으로 유아의 성장과 안전에 기여합니다. 최고의 품질과 디자인으로 부모님들의 신뢰를 얻고 있습니다.

특별 혜택을 놓치지 마세요 :
이 기회를 놓치지 마시고, 다음 주 화요일까지(12/6) 주문 시 20% 할인 혜택을 누려보세요. 당사의 제품은 항상 최고의 품질과 안전성을 기반으로 제작되어 있습니다.

회신 요청:
이 특별 혜택에 대한 자세한 정보나 궁금한 사항이 있으시면 언제든지 연락 주시기 바랍니다. 또한, 다음 주 화요일까지 회신 부탁드립니다.

저희의 제품으로 더 안전하고 행복한 유아 시대를 만들어보세요. 성장그린의 발전에 함께 동참하고 기대되는 소식을 기다리고 있겠습니다.

감사합니다.

[귀하의 이름]
[귀하의 직책]
[회사명]
[연락처]
[이메일 주소]

③ 작성된 초안 리뷰

ChatGPT는 완벽한 답을 주지 않기에 작성된 초안은 리뷰를 해야 한다. 문맥이나 단어 선택 등 제대로 작성됐는지 확인을 해야 한다.

위의 ChatGPT가 작성한 이메일 초안은 잘못된 부분이 있다. '다음 주 화요일까지(12/6)'라고 작성된 부분은 수정이 필요하다. 2023년 12월 6일은 수요일이라서 내 의도와 다른 기준으로 작성됐기 때문이다. 직접 수정해야하며, 프롬프트 작성 시 명확하게 연도를 입력해주면 알맞은 답을 얻을 수 있다.

추가로 다른 수정 및 개선사항이 있는지 물어본다.

▶ 프롬프트 예시

해당 이메일을 리뷰해주고 수정이 필요한 부분을 알려줘.

<ChatGPT가 답변한 내용>

메일 내용은 전반적으로 제공된 요구 사항에 부합하고, 영업 전문가 톤을 유지하면서 목적을 잘 전달하고 있습니다. 그러나 몇 가지 개선 사항이 있을 수 있습니다.

내용 강조 : 할인 혜택 외에도 유아용품의 특장점이나 혜택을 더 강조하여 고객에게 더 많은 이유를 제공할 수 있습니다.

효과적인 마무리 : 메일의 마무리 부분에서 고객에게 더 많은 동기부여를 주거나 향후 협업에 대한 기대감을 높일 수 있는 문구를 추가하는 것이 좋습니다.

> 연락처 정보 확인 : 귀하의 연락처 정보가 정확하게 포함되어 있는지 다시 확인하고 수정이 필요한 경우 수정하세요.

④ 첨삭 요청
앞서 리뷰해준 내용을 토대로 빠르고 쉽게 첨삭을 요청할 수 있다.

▶ 프롬프트 예시
리뷰 및 수정사항을 반영해서 다시 작성해줘.

[보너스 / 영어 이메일 작성 요청]
영어로 이메일을 보내야 할 때 프롬프트 언어지정을 '영어'로 지시하면 간단하게 영어 이메일을 완성시킬 수 있다. 작성 된 이메일 내용은 번역 사이트를 통해 내용이 잘 작성됐는지 검토할 수 있다.

▶ 프롬프트 예시
아래 요구 사항으로 이메일 초안을 작성해줘.
- 수신인 : 성장그린
- 목적 : 신규 출시된 유아용품 소개
- 주요내용 : 20% 할인 혜택
- 요청사항 : 회신 요청, 다음 주 화요일까지(12/6)
- Tone : 영업 전문가처럼
- 언어지정 : 영어

[보너스 / 이메일 내용 파악하기]
ChatGPT를 활용해 복잡한 이메일 내용도 빠르게 파악할 수 있

다. 단, 중요한 업무 메일은 보안에 주의해야 한다.

▶ 프롬프트 예시
아래 이메일 내용을 정리해줘.
정리내용 : 요약, 요청사항, 중요한 정보확인, 응답기한, 첨부파일 여부 확인
(이메일 내용 첨부)

이해가 안 되는 부분이 있을 경우에는 쉽게 설명해달라고 요청해야한다.

▶ 프롬프트 예시
아래 내용을 초등학생도 이해하기 쉽게 설명해줘. 또는 짧을 문장으로 중요한 부분만 알려줘. (설명이 필요한 내용 첨부)

<ChatGPT가 쉽게 설명한 내용>

할인 혜택 : 새로운 유아용품을 사면 20% 할인!
특징 : 안전하고 예쁜 디자인으로 부모들이 신뢰해.
기한 : 다음 주 수요일까지 주문해야 할인 혜택 받을 수 있어.
질문 또는 정보 필요 : 궁금한 거 있으면 언제든 물어봐!
응답 기한 : 다음 주 수요일까지 답장 부탁해.
기대 : 아이들이 더 안전하고 행복한 시간을 보낼 수 있을 거야!

3-2. 요약하기

ChatGPT를 활용한 요약은 간단하면서도 효과적인 방법으로, 특

히 대량의 정보를 빠르게 정리하고 필요한 내용을 추출하는데 도움이 된다.

요약 기능을 효과적으로 사용하기 위한 핵심은 프롬프트 자체의 구체성과 명확성에 있다. 프롬프트를 신중하게 작성하면 AI가 가장 중요한 요점에 집중하고, 원래의 의미를 유지하며, 불필요한 세부 사항이나 접점을 피할 수 있다.

효과적인 요약 프롬프트를 만들기 위해서는 몇 가지 사항을 고려해야 한다.

1) 요약의 목적 설정 :
프롬프트를 작성하기 전에 왜 요약을 하는지 목적을 명확히 설정해야 한다. 자신만의 이해를 위한 것인지, 아니면 다른 사람들과 정보를 공유하기 위한 것인지 등을 고려해야 한다.

2) 요점의 방향 정하기 :
요약하고자 하는 내용의 핵심 요점, 주장, 또는 결과를 고려해야 한다. 이러한 핵심적인 내용을 프롬프트에 포함시키면 응답이 더 집중되고 유익한 정보를 얻을 수 있다.

3) 구체적이면서 간결하게 작성 :
요약의 방향을 명확하게 전달하되, 동시에 너무 복잡하거나 길지 않도록 주의해야 한다. 모호하거나 지나치게 광범위한 프롬프트는 관련성이 떨어지거나 요약의 효과를 떨어뜨릴 수 있어 가능한 한 구체적이고 간결하게 작성하는 것이 좋다.

▶ 프롬프트 예시

> 1) 역할 : 너는 알고리즘 엔지니어야.
> 2) 상황 : 다른 사람에게 정보 공유
> 3) 목적 : 아래 기사를 이해하기 쉽게 요약해줘.
> 4) 결과 : 핵심 키워드 5개로 구분, 발표형식으로 만들어줘.
> 5) 제약 : 광고문구 제거해줘. 친근한 어조, 한글사용
> (기사내용 첨부)

이후 프롬프트를 사용하여 요약한 결과물은 검토하는 과정이 필요하다.

1) 정확성 확인
요약본을 검토하여 원본 콘텐츠가 정확하게 반영되었는지 확인한다. 부정확한 내용이나 잘못된 표현이 있다면 수정한다.

2) 명확성 및 일관성 유지
요약이 논리적인 아이디어 흐름과 일관된 어조로 명확하고 일관성 있게 작성되었는지 확인한다.

3) 중복 및 관련 없는 정보 제거
원본의 핵심에 집중할 수 있도록 요약을 검토하면서 중복되거나 관련성이 없는 정보를 찾아내어 더 나은 정보로 바꾸거나 제거한다.

4) 독자층을 고려한 수정
읽는 사람이 누구인지 고려하여 요약을 수정한다. 단어수준, 톤, 디테일의 깊이를 조정하여 대상 독자가 더 쉽게 접근할 수 있도록 한다.

특히 기사의 경우, 기사 본문 내용을 붙여 넣지 않고 url 주소를 입력해서 프롬프트를 작성하는 것만으로도 요약이 가능하다. 방법은 WebPilot 플러그인 활용(유료버전에서만 사용 가능)하는 것이다.

3-3. 비교하기

ChatGPT를 활용해서 비교하는 방법은 자료입력 > 작성요청 > 상세비교 > 비교 결과 변환 요청의 순으로 진행한다.

비교를 위해서는 먼저 각각 2가지 프롬프트를 작성한다. A자료 입력, B자료 입력하면 ChatGPT가 각각의 내용을 기억하고 이해해서 비교 결과를 정리해준다.

1) 자료입력
ChatGPT에게 비교할 자료 A와 B를 입력한다. 각각의 내용을 명확하게 프롬프트에 기록하고 해당 정보를 기억하도록 요청한다.

▶ 프롬프트 예시

아래 A에 대한 내용을 기억해줘.
A : [A의 내용 첨부]
아래 B에 대한 내용은 기억해줘. 비교해서 정리해줘.
B : [B의 내용 첨부]

2) 작성요청
ChatGPT에게 A와 B를 비교한 내용을 작성해달라고 요청한다.

▶ 프롬프트 예시

| A와 B 글을 비교해서 글을 작성해줘. |

3) 상세비교
ChatGPT에게 각 자료에 대한 비교를 요청한다. 두 내용을 상세히 비교하고 차이점, 공통점 등을 요약하도록 지시한다.

▶ 프롬프트 예시

| A와 B를 비교해서 차이점과 공통점을 상세히 설명해줘. |

비교 결과 변환 요청:
ChatGPT에게 상세한 비교 내용을 요약하여 다시 제공하도록 요청한다.

▶ 프롬프트 예시

| 비교 결과를 간략하게 정리해서 알려줘. |

이러한 순서로 ChatGPT에게 비교를 요청하면, 모델은 입력된 자료를 이해하고 두 내용을 비교하여 상세한 결과를 제공할 것이다. 이를 통해 효과적인 비교 분석을 수행할 수 있다.

추가적으로 표로 정리해달라고 요청하면 깔끔하게 정리해준다.

PART
04

Chat GPT 활용하기(심화)

———

4-1. 아이디어 기획하기

ChatGPT는 일정 수준의 창작능력을 가지고 있다. 이에 마케팅 문구, 판매 전략 문구, 블로그 글 작성, 제품 상세페이지 등 브레인스토밍이나 아이디어 기획에 활용할 수 있다.

ChatGPT를 활용해 브레인스토밍 > 구체화하기 > 문구 제안받기 > 학습시키기 > 활용하기 순서를 통해 아이디어를 기획할 수 있다.

1) 브레인스토밍
아이디어를 찾기 위해 브레인스토밍을 진행한다. ChatGPT에게 어떤 주제 또는 문제에 대해 생각해 볼 것인지 요청하여 다양한 아이디어를 얻을 수 있다.

▶ 프롬프트 예시

| 친환경제품을 만들고 싶어. 좋은 아이디어가 없을까? |

2) 구체화하기
'친환경 제품'에서 '겨울에 필요한 친환경 제품'으로 구체화시키면서 가장 필수적인 아이템을 결정한다.

▶ 프롬프트 예시

| 친환경제품 중 겨울에 가장 필요한 아이템은 어떤 것이 있을까? 가장 많은 수요가 예상되는 순서대로 작성해줘. |

3) 문구 제안 받기
친환경 겨울 제품을 위한 마케팅 문구 10개를 요청합니다. 각 문구는 간결하면서도 클릭률을 높일 수 있는 hooking 요소를 포함

해야 한다.

▶ 프롬프트 예시

친환경제품 중 겨울에 가장 필수적인 아이템을 생각해.
그에 대한 마케팅 문구를 10개를 작성해줘.
한 문장으로 간결하고, hooking 요소가 있어야 해.
목표는 클릭률(CTR)을 최대한 높이는 거야.

4) 학습시키기
ChatGPT에게 유명한 마케팅 문구 10개를 추천해달라고 요청하여 창작력을 향상시켜 나갈 수 있다.

▶ 프롬프트 예시

유명한 마케팅 문구 10개 추천해줘.

5) 활용하기
학습을 통해 얻은 마케팅 문구 예시를 활용하여 친환경 겨울 제품을 위한 마케팅 문구 10개를 ChatGPT에게 작성해달라고 요청한다.

▶ 프롬프트 예시

위의 예시를 바탕으로 친환경제품을 위한 마케팅 문구 10개를 작성해줘.

4-2. 보고서 작성하기

보고서는 조직의 의사 결정, 효과적인 소통, 업무 성과 평가와 같은 다양한 측면에서 핵심적인 도구로 활용된다.

보고서 형태는 크게 리서치, 프로젝트 진행, 사업 보고서로 구분한다. 리서치 보고서는 시장조사, 산업동향 조사 등 특정 주제에 대한 리서치 결과를 정리하고 분석한다. 프로젝트 진행 보고서는 진행 상황을 보고하는 문서로 일정, 완료된 작업 현황 등을 포함한다. 마지막으로 사업보고서는 사업의 진행상황, 재무, 시장분석 등을 포함한 보고서이다.

ChatGPT를 활용한 보고서 작성 요령은 무엇일까?
1) 목적 명시 :
보고서의 목적을 시작할 때 명확하게 제시하세요. 보고서가 왜 작성되었는지, 독자에게 어떤 영향을 미칠 것인지를 간결하게 설명한다.

2) 구조화 :
목차를 통해 보고서를 명확하게 구조화하세요. 개요, 주제별 섹션, 결론, 권고 사항 등을 구분하여 독자가 필요한 정보를 쉽게 찾을 수 있도록 한다.

3) 간결하고 명료한 문체 :
글을 간결하게 작성하되, 내용을 명확하게 전달해야한다. 복잡한 문장을 피하고 필요한 경우 예시나 설명을 통해 독자가 내용을 이해할 수 있도록 한다.

4) 핵심 내용 강조 :
제목, 부제, 강조 텍스트 등을 활용하여 보고서의 핵심 내용을 강조합니다. 독자가 주요 포인트를 쉽게 파악할 수 있도록 한다.

5) 그래픽 및 차트 활용 :
데이터를 시각적으로 표현하기 위해 그래픽이나 차트를 활용한다. 이는 독자에게 복잡한 정보를 이해하기 쉽게 도와준다.

6) 일관된 문체와 어조 :
일관된 문체와 어조를 유지하여 보고서를 전문적으로 유지하세요. 독자층에 맞는 어조를 선택하여 적절한 수준으로 작성한다.

7) 문서 형식 준수:
문서 형식에 주의를 기울이세요. 일관된 페이지 나누기, 폰트, 줄 간격 등을 유지하여 전문적인 느낌을 주세요.

8) 마무리와 향후 방향성 :
보고서를 마무리할 때 핵심 내용을 재강조하고, 향후 연구나 개선 방향성에 대한 제안을 명확하게 제시한다. 이러한 요령을 따르면 보고서 작성 시 독자에게 더 효과적으로 내용을 전달할 수 있다.

ChatGPT를 통해 보고서를 어떻게 작성할 수 있을까?
먼저 보고서 작성 계획을 잡아야 한다. 보고서를 작성할 주제가 무엇인지 정해졌다면 ChatGPT에게 보고서 작성 방법 및 순서를 물어보면서 가이드를 잡는다. 작성 순서마다 각 항목별로 추가 질문을 이어 나가면 구체적인 답변을 얻을 수 있다.

임의로 'ChatGPT가 가져올 변화와 직장인에게 미치는 영향'을 주제로 보고서 작성 방법을 알아보려고 한다.

[보고서 작성순서]
- 주제이해
- 자료조사
- 데이터수집 및 분석
- 보고서 초안
- 보고서 수정 및 피드백 수집
- 완성

1) 작성 계획
▶ 프롬프트 예시

> [ChatGPT가 가져올 변화와 직장인에게 미치는 영향]에 대한 보고서를 작성을 할거야. 필요한 내용과 작성 계획을 step by step으로 알려줘.

프롬프트를 간단하게 입력했는데도 불구하고 ChatGPT가 아래와 같이 보고서 작성 순서에 맞춰 답안을 제시한다.

> **<ChatGPT가 답변한 내용>**
>
> 1. 주제 선정 및 목적 명시:
> 주제: ChatGPT의 활용과 직장인에게 미치는 영향
> 목적: ChatGPT 도입이 기업 및 직장환경에 미칠 영향을 탐구하고, 직장인들에게 주는 새로운 도전 및 기회를 분석하는 것.
>
> 2. 문제 제시 및 필요한 내용 도출:
> 문제: ChatGPT의 활용으로 어떠한 분야에서 변화가 예상되며, 직장인들은 어떻게 대응해야 하는가?

필요한 내용:
ChatGPT의 주요 활용 사례와 예시
ChatGPT의 활용이 늘어남에 따른 산업, 직무의 변화
직장인들이 ChatGPT를 활용하여 어떻게 업무를 개선할 수 있는가? 직장인들이 기존 업무에서 새로운 기회를 찾는 방법

3. 자료 수집 및 정리:
ChatGPT의 다양한 활용 예시, 관련 연구, 기술 동향 등을 조사 및 수집. 기업 및 산업 리포트, 뉴스 기사, 전문가 인터뷰 등을 활용하여 ChatGPT가 가져올 변화와 직장인에게 미치는 영향에 대한 실증적 자료 수집

4. 보고서 구조화:
개요: 주제 소개, 연구 목적 설명
ChatGPT 활용 사례 : 산업 분야, 업무, 창의성 측면에서의 활용 사례 제시
직장인 영향 분석 : 기존 직무의 변화, 기회 제시
대응 전략: 직장인들이 ChatGPT 시대에 어떻게 대응할 수 있는지 제안
결론 : 주요 결과 및 향후 전망

5. 문체 및 어조:
전문적이면서 독자 친화적인 문체 사용
경영, 기술 용어를 적절히 사용하여 내용 이해를 도모
긍정적이고 비판적 사고를 고려하여 중립적인 어조 유지

6. 그래픽 및 차트 활용:
수치적 자료는 그래픽이나 차트로 시각화하여 독자의 이해도

향상
활용 사례에 대한 이미지나 다이어그램 활용

7. 피드백 수렴:
초고 작성 후 동료나 전문가로부터 피드백 수렴
필요 시 보완 및 수정 작업 진행

8. 최종 보고서 작성:
최종 보고서 작성 및 형식에 맞춰 문서 완성
참고 문헌, 인용문, 이미지 출처 등 정확한 표기

9. 보고서 검토:
문법, 맞춤법, 논리적 구성 등을 검토하여 최종 보고서 완성

2) 초안 작성
보고서 작성순서에 대해 답변을 받았다면 순서대로 초안을 작성
한다.

- 조사가 필요한 정보 확인

어떤 정보가 필요할까?

<ChatGPT가 답변한 내용>

ChatGPT의 활용 사례 및 예시:
ChatGPT가 현재 어떤 분야에서 사용되고 있는지, 주요 성공
적인 활용 사례에 대한 정보.

ChatGPT의 기술 동향:
ChatGPT의 최신 기술 동향, 업데이트, 발전 과정 등에 대한 정보.

산업 및 직무 변화에 관한 연구 및 리포트:
ChatGPT의 도입이 해당 산업 및 직무에 미치는 영향에 대한 연구 결과와 리포트.

ChatGPT를 활용하여 업무 개선하는 방법:
ChatGPT를 사용하여 업무를 어떻게 개선할 수 있는지에 대한 가이드 및 사례 연구.

직장인들의 대응 전략:
직장인들이 ChatGPT 도입에 어떻게 대응할 수 있는지에 대한 조언 및 전략.

ChatGPT의 시장 영향 분석:
ChatGPT가 시장에 미치는 영향, 기업들의 대응 전략, 시장의 동향 등에 대한 정보.
ChatGPT 도입으로 얻을 수 있는 기회 및 도전:
직장인들이 ChatGPT 도입으로 얻을 수 있는 기회와 도전에 대한 분석.

ChatGPT 관련 이슈 및 윤리적 고려사항:
ChatGPT와 같은 기술 도입으로 발생할 수 있는 윤리적 이슈와 고려사항에 대한 정보.

기존 자료 및 보고서:

ChatGPT와 관련된 기존의 연구, 보고서, 인터뷰, 뉴스 기사 등을 참고할 수 있는 자료.

인용 및 출처 확인을 위한 자료:
사용하는 자료의 출처와 인용을 위한 정확한 정보.

- 보고서 제목 제안 요청
▶ 프롬프트 예시

[ChatGPT가 가져올 변화와 직장인에게 미치는 영향]에 대한 시장 조사 보고서 제목을 제안해줘. 제일 적합한 3가지를 추천해줘.

- 보고서의 outline을 작성해달라고 요청
▶ 프롬프트 예시

[선택한 제목] 대한 보고서를 위한 outline을 작성해줘.

- 섹션별로 필요한 자료 확인
▶ 프롬프트 예시

[선택한 제목] 대한 필요한 이미지와 표가 있다면 알려줘. 어떤 section에 필요한지도 알려줘. 표 형태로 정리해줘.

팁을 추가하자면, 프롬프트 작성 시 ChatGPT가 사용자가 전달한 질문을 제대로 이해했는지 물어보면서 진행하면 좋은 답변을 얻는데 도움이 된다.

예를 들어 결과는 마크다운 형식으로 정리해 주고, 전문용어 외에는 한국어로 답변해줘. 입력된 내용에 없는 것은 추가하지 말고 지시한 내용이 이해가 되면 '알겠습니다, 내용을 입력해 주세요'라고 물어봐줘. 라고 말이다.

또한 업무에 따라 차이가 있을 수 있지만 대체로 보고서는 '개조식'으로 정리한다. 예를 들어 각 항목을 길게 서술하지 말고 세부 항목으로 나눠 짧게 작성해줘. 모든 문장은 '~했음, ~임' 으로 마무리 지어줘라고 프롬프트를 작성한다. 보고서의 모든 내용을 '개조식' 형태로 작성해달라고 요청하면 수정사항이 줄어든다.

3) 수정 및 보완
완성된 초안은 수정과 보완을 거쳐 활용한다. ChatGPT 결과는 제안일 뿐 자료 조사 및 검증이 필요하다는 것을 잊지 말아야 한다.

4-3. 제안서 작성하기
제안서는 주로 프로젝트, 계획, 협력, 제품 등에 관한 정보를 제공하고, 특정 목적을 달성하기 위한 계획 및 제안을 상세히 기술하는 문서를 말한다.

ChatGPT를 활용하여 프로젝트 제안서를 작성하는 방법은 다음과 같다.

1) 목적 설정
프로젝트 제안서의 목적을 명확하게 설정해야 한다. 어떤 문제를 해결하고자 하는지 또는 어떤 목표를 달성하고자 하는지 정의한다.

2) 핵심 아이디어 도출

ChatGPT에게 프로젝트의 핵심 아이디어를 물어본다. "우리 프로젝트의 주요 목표는 무엇이라고 생각하시나요?"와 같은 질문을 활용하여 중요한 아이디어를 도출할 수 있다.

3) 프로젝트 설명

ChatGPT에게 프로젝트의 세부 내용인 프로젝트의 범위, 사용할 기술, 예상 시간 등을 구체적으로 전달한다.

4) 가치 제시

ChatGPT에게 프로젝트가 어떻게 가치를 제공할지에 대한 의견을 얻을 수 있다. "우리 프로젝트가 어떻게 기존 문제를 개선하거나 혁신을 가져올 수 있을까?"와 같은 질문을 통해 가치를 강조한다.

5) 비즈니스 모델 탐색

ChatGPT에게 프로젝트의 비즈니스 모델에 대해 어떤 생각을 가지고 있는지 물어본다. 수익 모델, 비용 구조 등에 대한 아이디어를 추출하기 좋은 방법이다.

6) 성공 지표 확인

ChatGPT에게 프로젝트의 성공을 어떻게 측정할 수 있는지 미리 물어볼 수 있다. 어떤 성과 지표를 사용할 것인지에 대한 의견을 수렴하세요.

7) 제안서 구성

ChatGPT로부터 얻은 정보를 기반으로 프로젝트 제안서를 구성하세요. 목차, 개요, 프로젝트 목표, 구현 계획, 일정 등을 포함하여 전문적이고 간결한 제안서를 작성하세요.

8) 수정과 검토:
ChatGPT에게 작성된 제안서를 읽고, 필요한 경우 수정 및 보완을 요청한다. 문장의 일관성과 내용의 완성도를 검토한 후 최종 제안서를 완성한다.

가장 기본적인 프로젝트 관련 제안서를 작성하는 프롬프트를 예시로 설명했다. 실제 제안서를 작성했을 경우에는 구체적인 예산이나 회사의 환경 및 직무 등 구체적인 내용을 전달해 완성도를 높여나가야 하는 점을 기억해야 한다.

① 프로젝트 목적 정리
▶ 프롬프트 예시

[목적]에 대한 제안서를 작성할거야. 배경, 범위, 요구사항을 정리해줘.

② 프로젝트 진행 계획 및 일정관리
▶ 프롬프트 예시

[목적]에 대한 프로젝트 진행 계획을 표 형태로 작성해줘.

③ 프로젝트 예산 및 자원 계획 준비
▶ 프롬프트 예시

[목적]에 대한 프로젝트의 예산 및 자원 계획을 작성해줘.
(단위 : 만원)

PART
05

업무 생산성 높이는 플러그인 활용

5-1. Advanced Data Analysis(고급 데이터 분석)

데이터 분석은 현대 비즈니스에서 필수적인 과정이다.
Advanced Data Analysis(고급 데이터 분석)**은 업무 생산성을 높이기 위한 플러그인 중 하나로, 데이터 분석을 보다 정교하고 효과적으로 수행할 수 있도록 도와주는 도구이다.

이 플러그인은 다양한 분석 작업에 활용된다. 주요 기능은 다음과 같다

1) 고급 통계 기능 : 통계적 분석을 통해 데이터에서 유용한 특징을 도출하고, 추세를 파악할 수 있습니다. 특히, 기존의 통계 기능을 보완하여 더 정교한 분석이 가능합니다.

2) 데이터 시각화 : 다양한 차트와 그래프를 생성하여 데이터를 직관적으로 이해할 수 있도록 합니다. 데이터의 패턴이나 관계를 시각적으로 확인할 수 있습니다.

3) 고급 모델링 : 머신 러닝 알고리즘을 활용하여 데이터에 대한 예측 모델을 구축한다. 미래의 동향을 예측하거나 특정 변수의 영향을 조사할 수 있다.

4) 자동화된 보고서 생성 : 분석 결과를 자동으로 정리하여 보고서 형태로 제공한다. 의사 결정자나 팀원들이 쉽게 결과를 이해하고 활용할 수 있다.

이러한 Advanced Data Analysis 플러그인은 업무에서 다양한 데이터와 정보를 활용하여 높은 수준의 의사 결정과 업무 생산성 향상을 지원한다.

5-2. Custom Instructions(맞춤 지시사항)

ChatGPT는 Custom Instruction을 통해 사용자의 특별한 요구에 더 적극적으로 대응하고 사용자가 더 나은 대화 경험을 즐길 수 있도록 한다.

Custom Instruction의 장점은 4가지로 구분된다.

- 시간 절약 : 사용자는 반복적으로 선호하는 스타일이나 특정한 응답 방식을 지정할 필요가 없다. 한 번 설정하면 모델이 이를 기억하고 일관된 응답을 생성한다.

- 대화 일관성 : Custom Instruction를 사용하면 대화가 더 일관되게 진행된다. 모델은 사용자의 기호에 맞춰 응답을 생성하므로 대화가 더 자연스럽게 이어진다.

- 세부 조절 가능 : 사용자는 선호하는 스타일뿐만 아니라 특정 주제, 어휘, 톤 등에 대한 조건을 지정할 수 있다. 이를 통해 더 정확한 컨트롤이 가능하다.

- 사용자 중심의 경험: 사용자의 요구와 기호에 따라 모델이 대응함으로써 상호작용이 더 잘 된다.

* 사용방법
1) ChatGPT 좌측 하단의 프로필에서 'Custom Instructions' 버튼을 클릭한다.
2) ChatGPT에게 원하는 '상황설정'과 '응답방식'을 입력하면 Custom Instructions이 적용된 대화가 가능하다.

5-3. 확장프로그램

몇 가지 크롬 확장프로그램을 설치하는 것만으로도 ChatGPT의 기능이 확장되고 훨씬 더 강력한 기능을 간편하게 사용할 수 있다. 크롬 확장프로그램은 네이버에서 '크롬 확장프로그램'을 검색하고 최상단 우측에 나오는 검색란에서 검색한 후 설치할 수 있다.

ChatGPT 유료를 구독하면 GPT-4에서 자체 플러그인을 사용할 수 있다.

1) 프롬프트 지니
ChatGPT 페이지 내에서 즉시 영어 번역이 가능하도록 돕는 확장 프로그램이다. [Ctrl+엔터] 단축키로 사용이 가능하다. 기존에는 영어로 번역하기 위해 다른 번역기 앱에서 복사/붙여넣기 등을 통해 진행해 번거로웠다. 프롬프트 지니 사용 시 이 과정을 생략할 수 있어 상당히 도움이 된다.

2) AIPRM for ChatGPT
AIPRM for ChatGPT는 이미 잘 만들어진 프롬프트들을 무료로 제공받을 수 있는 확장프로그램이다. 유튜브 대본 만들기, 칼럼작성 등 빠르게 접근할 수 있다.

3) ShareGPT
ChatGPT를 이용하여 생성된 결과물을 외부와 공유하고 파일로 다운로드할 수 있도록 돕는 확장프로그램이다.

4) ChatPDF
PDF 문서 기반으로 요약, 질문, 컨텐츠 생성을 돕는 확장프로그램이다.

5) Gimme Summary
웹사이트의 긴 글을 요약하여 간략하게 보여주는 도구이다.

6) 에이티파이(Eightify)
유튜브 동영상을 요약하는 데 사용되는 AI 도구로, 강의, 뉴스, 인터뷰, 팟캐스트 등을 요약할 때 유용하다.

7) 프롬프테우스(Promptheus)
챗 GPT 기본 버전은 완전한 텍스트 기반이지만, 프롬프테우스는를 활용하면 음성으로 입력하여 사용할 수 있는 도구이다.
확장프로그램을 설치해 활성화한 후 스페이스바를 길게 눌러 음성 입력을 활성화하기만 하면 된다.

8) WebChatGPT
검색 결과를 ChatGPT에 반영하고 출처 링크를 표시해준다. 답변에 최신 정보를 반영한다. 가장 관련성 있는 온라인 소스에서 데이터를 불러오고, 지역, 시간 및 날짜 등 검색 맞춤 설정할 수 있도록 돕는다.

에필로그

세상이 빠르게 변하고 있다. 뱅크오브아메리카는 투자보고서에서 AI가 2030년까지 15조 7,000억달러의 경제적 가치를 창출할 것으로 내다봤다.

그 중 ChatGPT는 역사상 가장 빠른 성장을 거두고 있다. 이러한 큰 변화 속에서 늘 가장 먼저 시작한 사람들이 능력도 키우고, 돈도 벌고, 나아가 인생을 바꾸기도 한다.

이 책은 AI 시대에 직장인들이 새로운 도전에 안주하지 않고, 오히려 적극적으로 도전하며 발전할 수 있는 방법을 제시한다. AI 기술 중에서도 특히 ChatGPT를 통해 어떻게 업무 효율을 높일 수 있으며, 어떻게 자신만의 ChatGPT를 만들어 더 나은 업무 환경을 조성할 수 있는지를 다뤘다.

여러분이 더 나은 직장생활을 꿈꾸며, 그 꿈을 현실로 만드는 열쇠를 손에 쥐었다. 미래의 직장환경에서는 인공지능과 협업해야 한다는 것을 받아들이고, 자신의 업무에서 어떻게 ChatGPT를 효과적으로 활용할 수 있는지에 대한 통찰력을 얻었을 것이다.

ChatGPT는 우리의 삶에 새로운 가능성과 창조성을 가져다주었다. 이 도구가 주는 놀라움과 혁신은 우리를 더 나은 일상으로 인도할 것이다.

이 책이 여러분의 업무와 삶에 새로운 빛을 비추었길 바란다. ChatGPT를 활용한 직장혁명은 여러분의 무한한 잠재력을 발견하고, 그 힘으로 더 멋진 미래를 향해 나아가는 여정의 시작일

뿐이다.

ChatGPT는 더 나은 업무 환경과 창의성을 도모하기 위한 강력한 우리의 동반자가 될 것이다. 여러분은 이제 ChatGPT를 통해 업무의 한계를 넘어서는 방법을 알게 됐다. 이 도구를 통해 여러분의 업무 환경을 혁신하고, 새로운 아이디어를 발굴하며, 효율적으로 업무를 처리할 수 있을 것이다.

이제부터 ChatGPT에 대해 알게 된 내용을 바탕으로 직접 업무에 활용해 보자. 물론 처음은 모든 게 쉽지 않겠지만, 일단 시작하길 바란다.

ChatGPT가 도구로서 어떤 역할을 할지, 어떻게 직업 및 직무의 생태계를 변화시켜 나갈지 관심을 갖고 지켜보면서 인공지능과 함께 미래를 준비해야 할 것이다. 남들보다 조금 더 빠르게 활용한다면 분명 당신의 일도, 일상도 모두 바뀔 수 있음을 명심하길.